Casos insólitos

Busque otros títulos
de la serie:

Rarezas del mundo animal

Casos insólitos

por Mary Packard
y los redactores de Ripley Entertainment Inc.
ilustraciones de Leanne Franson

SCHOLASTIC INC.
New York Toronto London Auckland Sydney
Mexico City New Delhi Hong Kong Buenos Aires

Originally published in English as *Ripley's Believe It or Not!: Creepy Stuff*

Developed by Nancy Hall, Inc.
Designed by R studio T
Cover design by Atif Toor
Research by Katherine Gleason
Photo research by Laura Miller
Translated by THEMA Equipo Editorial - Barcelona - Spain

ISBN 0-439-66483-7

12 11 10 9 8 7 6 5 4 3 2 1 4 5 6 7 8 9/0

Printed in the U.S.A. **40**
First Spanish printing, September 2004

Sumario

Casos insólitos

Introducción

La experiencia de Ripley

Robert Ripley, un auténtico "Indiana Jones", viajó por todo el mundo tras la pista de hechos sorprendentes, rarezas y curiosidades. Coleccionista de todo y de nada, Robert Ripley nunca se sentía tan satisfecho como cuando descubría algo realmente extraño en uno de sus desplazamientos. Experimentaba una especial satisfacción si podía llevárselo a casa. Cabezas reducidas, collares de huesos, cuencos hechos con cráneos e instrumentos medievales de tortura: esta era la clase de recuerdos que más le gustaban, y todos ellos acabaron encontrando lugares de honor en su hogar.

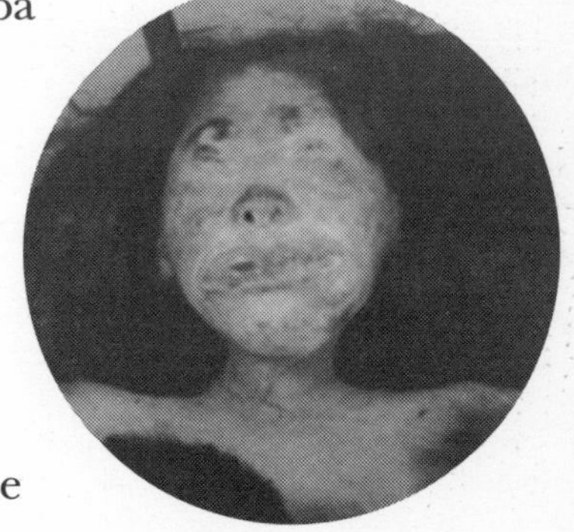

Habida cuenta la fascinación de Robert Ripley por lo extraño, no es de sorprender que tuviera predilección por los dibujos animados de ¡Aunque Ud. No Lo Crea! que trataban de lo inexplicable. Robert Ripley apreciaba una buena historia. Aún disfrutaba más si ésta versaba sobre algo truculento, como la del escultor moribundo que labró su propia estatua y luego le aplicó sus cejas, pestañas, uñas y dientes.

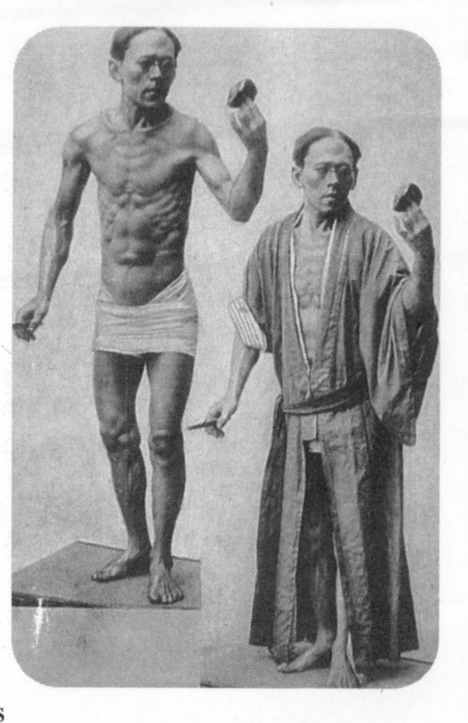

Los archivos de Ripley están repletos de relatos de personas que despertaron de repente en depósitos de cadáveres o que se sentaron en sus ataúdes tras haber sido declaradas "muertas". Siempre que Robert Ripley escuchaba historias como esas, y podía verificarlas, las archivaba para utilizarlas en futuros dibujos animados de ¡Aunque Ud. No Lo Crea! Las historias de fantasmas y brujas también ocupaban lugares destacados en la lista de sus temas favoritos.

Tal vez usted haya tenido una experiencia verdaderamente insólita. ¿Ha adivinado alguna vez quién le llamaba, antes de descolgar el teléfono? ¿Se ha sentido embargado en alguna ocasión por un sentimiento más fuerte que una corazonada? ¿Le ha ocurrido que, cuando alguien le está observando fijamente, usted se vuelve para mirar? Si usted contesta "sí" a alguna de esas preguntas, es que tiene mucho en común con las personas a las que se refiere este libro. Muchas de las ideas que inspiraron los dibujos de Ripley provenían de fans que le escribían para darle cuenta de cosas inquietantes que les ocurrieron: casas encantadas en las que residieron, sueños espantosos que se hicieron realidad, o sus experiencias con adivinos y en Percepción Extrasensorial (PES).

En las páginas de *Casos insólitos* hallará toda clase de sucesos extraños. También tendrá oportunidad de sorprenderse a sí mismo con su agudeza psíquica respondiendo a los tests ¡Aunque Ud. No Lo Crea! y a los Exprimecerebros de Ripley que aparecen en cada capítulo. Al final del libro, puede usted consultar el Test Pop y utilizar su marcador para conocer su lugar en la Clasificación de Ripley.

Dispóngase pues a penetrar en un mundo de gentes, lugares y sucesos sorprendentes, todo ello increíble pero cierto.

¡Créalo!®

CAPÍTULO

1 Visiones, sueños y profecías

La mayoría de nosotros sólo aceptamos como verdadero aquello que podemos ver, oír, tocar, oler o sentir. Cualquier otra cosa ha de ser ciencia ficción. Pero si es así . . .

¿Actividad adivinatoria? A comienzos de la década de 1930, Hubert Pearce adivinó todas las cartas del test de Percepción Extrasensorial (PES) propuesto por el doctor Joseph Rhine, de la Universidad de Duke. En efecto, Pearce salió airoso de la prueba tanto si estaba separado del examinador sólo por un biombo, como si se encontraba en otro edificio.

¡Aunque Ud. No Lo Crea!®

La capacidad para predecir con exactitud lo que ocurrirá en el futuro se llama . . .

a. precognición.
b. visión con rayos X.
c. buena suerte.
d. insólito buen sentido.

Predicción de muerte cumplida: En 1908, el astrólogo John Hazelrigg predijo que los hombres a los que se eligiera presidentes de Estados Unidos en 1920, 1940 y 1960 morirían durante sus respectivos mandatos. Y así fue.

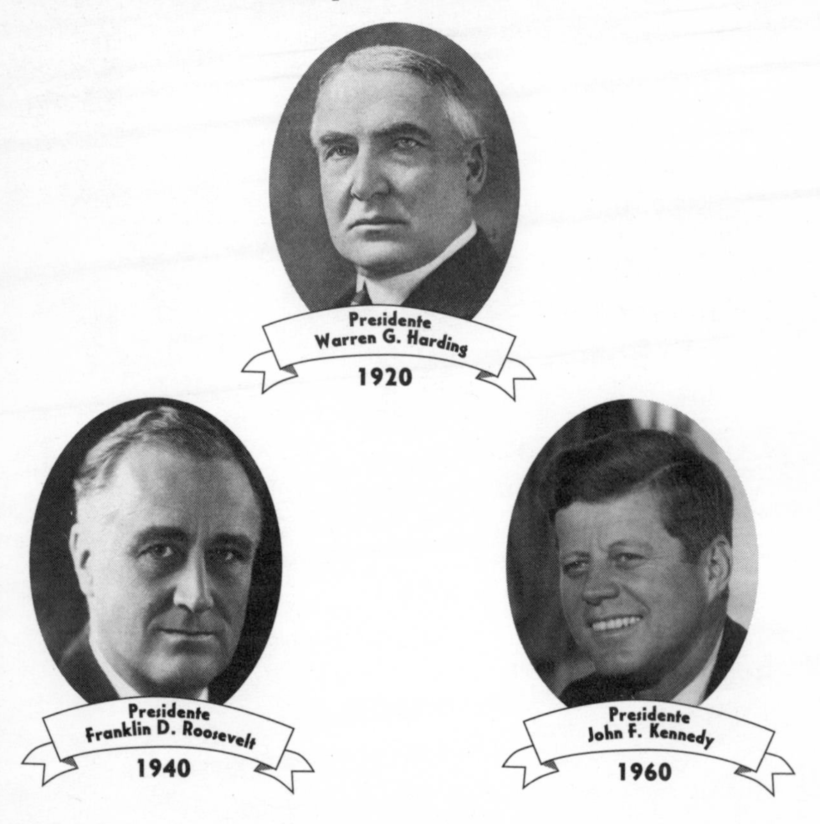

Malas vibraciones: En 1958, después de que un taxista fuera asesinado en Chicago, el psíquico Peter Hurkos se acomodó en el asiento en el que había muerto el conductor. Hurkos fue capaz de describir al asesino y suministrar a la policía información detallada. El criminal fue detenido.

Visión del futuro:

En 1968, la famosa astróloga Jeanne Dixon iba a pronunciar una conferencia en el hotel Ambassador, en Los Ángeles. Mientras atravesaba la cocina para dirigirse a la habitación donde estaba previsto que hablara, Dixon se detuvo de súbito y dijo abruptamente: "En este lugar le dispararán a Robert Kennedy. Puedo verlo mientras se lo llevan, con la cara ensangrentada". Su predicción se cumplió el 6 de junio de 1968.

Sentidos comunes:

Hubert Pearce, John Hazelrigg, Peter Hurkos y Jeanne Dixon recibieron información por conductos fuera de lo ordinario. En cada caso, intervino un sentido distinto de los cinco usuales. Algunas personas se refieren a este sentido extra como "sexto sentido" o PES.

¡Aunque Ud. No Lo Crea!®

Las letras del acrónimo PES significan . . .

a. prácticas extrañas sobrenaturales.
b. planetas y estrellas siderales.
c. predicciones exactas suprasensibles.
d. percepción extrasensorial.

Predicciones en una novela: En su novela de 1898 *Futility* (Futilidad), Morgan Robertson predijo sin proponérselo el hundimiento del *Titanic* 14 años antes de que fuera construido. En el argumento, un trasatlántico de 240 metros de eslora chocaba con un iceberg en su viaje inaugural, una noche de abril, y se iba a pique. Incluso el tamaño y la capacidad del *Titanic* (3,000 pasajeros) se ajustaban al buque imaginado por Robertson, al que había bautizado como *Titán*.

La vida imita el arte: *Barzai*, un libro escrito por el novelista alemán F.H. Gratoff en 1908, describía una guerra americano-japonesa en la que unas tropas americanas sin preparación, mandadas por un general MacArthur de ficción, perdían batallas al principio, pero luego reaccionaban y vencían a los japoneses. El libro de Gratoff era un misterioso presagio de acontecimientos reales en los que participó el verdadero general MacArthur, quien condujo las tropas americanas a la victoria durante la segunda guerra mundial.

El aprendiz de falsificador: El famoso poeta William Blake abandonó su empleo el primer día que entró como aprendiz de William Rylands, el más famoso grabador de Inglaterra. Blake, que por entonces contaba 14 años, tomó esa decisión porque cuando miró a su patrón tuvo una espantosa visión en la que lo veía muerto, colgado de una horca. Doce años después, la visión se hizo realidad cuando Rylands fue ahorcado por falsificación de moneda.

¡Aunque Ud. No Lo Crea!®

El día en que nací, mi abuelo anduvo dando vueltas a caballo y gritando: "¡Hoy ha nacido un senador de Estados Unidos!". Estaba en lo cierto. ¿Quién era yo?

a. Andrew Jackson
b. Harry S. Truman
c. Lyndon B. Johnson
d. John F. Kennedy

Claridad cristalina: Una mañana, Crystal Guthrie, de cuatro años, le contó entre sollozos a su madre que acababa de ver a su perrito muerto por un camión. Angustiada, la madre de Crystal salió al patio trasero, donde vio al cachorro feliz, esperando su desayuno. Minutos después, se oyó un frenazo y un aullido del perrito. La visión de Crystal se había hecho realidad.

A través del espejo: En 1892, Georges Vesperin, capitán de un ballenero, consultó a una adivina en París, Francia, como último recurso para encontrar a su hija, que llevaba perdida diez años. La adivina dijo que todo le sería revelado en su "espejo mágico". En cuanto Vesperin vio el espejo de la adivina, lo reconoció como el mismo que él había regalado a su hija años antes. Vesperin consiguió el espejo de un buzo que lo había encontrado en el océano Índico mientras buscaba entre los restos de un barco hundido. Vesperin no tardó mucho en encontrar a su hija, que vivía en la isla de Amsterdam, en el océano Índico.

¡Fuego! En el siglo XVIII, mucho antes de la cobertura instantánea de las noticias, el psíquico sueco Emanuel Swedenborg informó que un gran incendio acababa de declararse en Estocolmo, a 400 kilómetros de distancia. Dos días más tarde le llegó una carta que le daba todos los detalles del incendio, exactamente como Swedenborg lo había descrito.

¡Aunque Ud. No Lo Crea!®

He sido el psíquico más famoso de todos los tiempos. Como tal, predije la segunda guerra mundial, el auge de Napoleón, la invención de la bomba atómica y la Revolución francesa, cientos de años antes de que todo eso sucediera. Mi nombre es . . .

a. Merlín.
b. Rasputín.
c. Nostradamus.
d. Copérnico.

Imagen perfecta: En 1963, la psíquica Irene Hughes fue capaz de enumerar con prodigiosa exactitud qué delitos había cometido cada uno de 20 delincuentes con sólo mirar sus fotografías.

Visiones y detenciones: A Chris Robinson le ha llamado Scotland Yard "una fuerza que debe tenerse en cuenta". Durante el día, Robinson es conserje en Bedfordshire, Inglaterra, y por la noche es psíquico. Su sueño de que cinco terroristas planeaban atrocidades en un hotel, llevó a su detención en el mismo establecimiento. Después de tener otro sueño en el que anticipó una explosión en el muelle de Bournemouth, la policía pudo localizar las bombas de los terroristas a tiempo para salvar vidas inocentes.

El PES de la ley: Aunque la psíquica Robyn Slayden, de Orlando, Florida, carecía de conocimientos jurídicos, los abogados defensores empezaron a consultarla en 1977 para que les ayudara a seleccionar jurados. Sorprendentemente, Slayden podía sentir qué jurados abrigaban prejuicios contra los defendidos, y predecir el resultado de los procesos con asombroso éxito.

¡Aunque Ud. No Lo Crea!®

Las estadísticas demuestran que los delitos más violentos se cometen siempre que . . .

a. hay marea alta.
b. hay luna llena.
c. es estación de huracanes.
d. hay un eclipse total de sol.

La paloma: En 1895, el hijo de Maria Georghiu fue raptado en Turquía. Diecisiete años después, ella soñó que se reunían durante un viaje a Chipre. Se apresuró a reservar pasaje y, una vez a bordo, le habló a un pasajero acerca de su hijo, describiendo un lunar en forma de paloma que tenía en el pecho. El hombre, atónito, se levantó la camisa para mostrar a la señora Georghiu el lunar en su pecho. ¡Resultó que aquel hombre era su hijo, perdido hacía tanto tiempo!

La pantera: A las 5 de la madrugada del 2 de noviembre de 1951, Nova Churchill se despertó gritando: "He soñado que una pantera negra saltaba sobre mi madre y la mataba". Más tarde, aquel mismo día, supo que su madre había sufrido un ataque al corazón mientras le quitaba el polvo a una pantera de cerámica, en el mismo momento en que Nova se despertó.

Visión directa: "Pude ver a esa niñita gritando", dijo la espiritualista Francine Maness al equipo de rescate que buscaba una avioneta Piper Cub que se había estrellado en 1977. Los responsables de la búsqueda pudieron localizar los restos retorcidos del aparato, entre los que había sobrevivido un único miembro de la familia: la niña de tres años.

Tacto de oro: La psíquica Anne Gehman era capaz de pasar las manos sobre un mapa y señalar los lugares donde se encontraría petróleo. Recientemente le mostraron diez posibles yacimientos y señaló los cuatro que estaba segura resultarían productivos. Sorprendentemente, fue así en los cuatro casos.

¡Aunque Ud. No Lo Crea!®

Con diez años de antelación, Robert Burton (1577-1640), autor de *La anatomía de la melancolía*, predijo con exactitud la fecha de . . .

a. el nacimiento de su primer hijo.
b. su propia muerte por causas naturales.
c. la epidemia de peste bubónica.
d. el inicio de la Edad Oscura.

Muchos animales captan sonidos y movimientos que los humanos son incapaces de percibir . . .

Gata previsora: Inmediatamente antes del terremoto de Santa Bárbara, en 1925, una gata trasladó sus cachorros recién nacidos, desde su escondite bajo un granero, a un terreno más elevado. El seísmo rompió una presa y el granero se inundó.

El gato y el anuncio: *Fluffy*, un gatito propiedad de la señora Clyde McMillan, apareció en la redacción de un periódico que había publicado un anuncio de su extravío.

Sexto sentido perruno: Durante muchos años, el perro de Harry Goodman caminaba junto a él siguiendo las vías del tren. En 1968 un hombre murió cuando trataba de cruzarlas. En lo sucesivo, el perro aullaba asustado siempre que se acercaba al lugar del accidente, a pesar de no haberlo presenciado.

Escrito en las estrellas: Los astrónomos antiguos se percataron del poderoso efecto que ejercen sobre la Tierra los cambios de posición del sol y la luna. Si estos cuerpos celestes podían influir en las mareas y en las estaciones, razonaron, las estrellas y los planetas también podrían tener efectos sobre las personas.

El año zodiacal está dividido en 12 signos astrológicos, cada uno de ellos designado a partir de un grupo de estrellas conocido como constelación. Según los astrólogos, el sol entra en un nuevo signo cada mes.

¡Aunque Ud. No Lo Crea!®

Muchas personalidades famosas han consultado a los astrólogos, entre ellas el presidente de Estados Unidos . . .

a. Dwight D. Eisenhower.
b. Richard M. Nixon.
c. Theodore Roosevelt.
d. Jimmy Carter.

El signo astrológico de una persona es aquel en el que se encuentra el sol el día de su nacimiento. Quienes creen en la astrología piensan que el signo de una persona determina los rasgos de su carácter.

Tauro

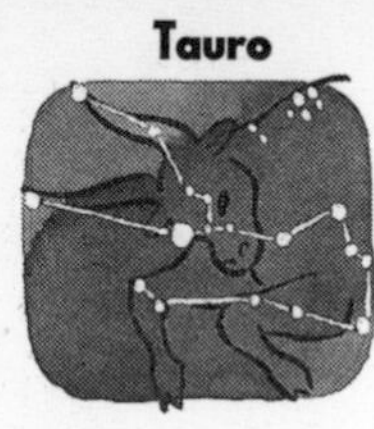

20 abr.–20 may.

Géminis

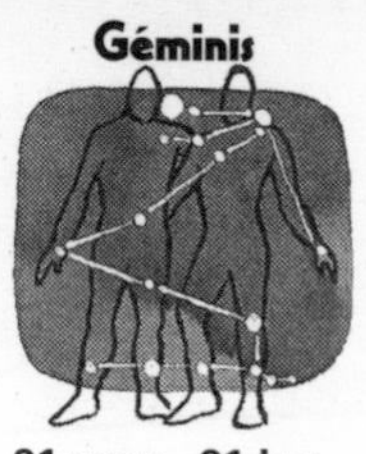

21 may.–21 jun.

Cáncer

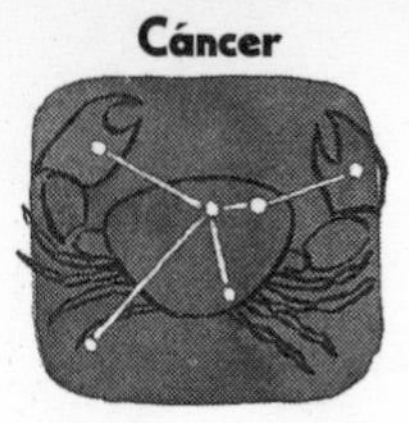

22 jun.–22 jul.

Aries

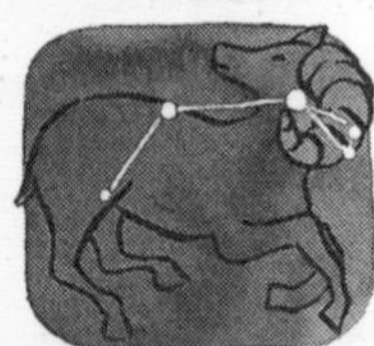

21 mar.–19 abr.

Piscis

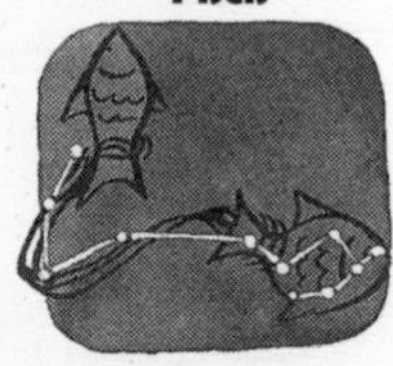

19 feb.–20 mar.

Acuario

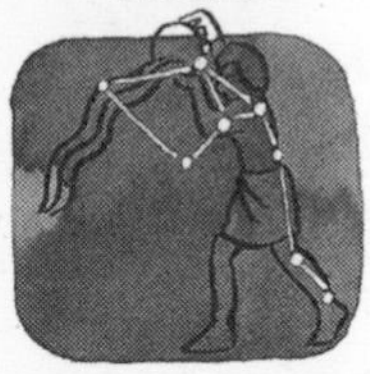

20 ene.–18 feb.

Absolución astral: Evangeline Adams fue detenida en 1914 por fraude. En un esfuerzo por defenderse, pidió al juez que le facilitara la fecha, hora y lugar de nacimiento de alguien a quien conociera. Con esta información, Adams trazó una carta astral que describía perfectamente a la persona. El juez quedó tan impresionado, que sobreseyó el caso, y Adams fue absuelta de todos los cargos. ¿A quién había descrito tan bien? ¡Ni más ni menos que al propio hijo del juez!

Error astronómico: Un astrólogo advirtió a Catalina de Médicis (1519-1589), reina de Francia, "que tuviera cuidado con St. Germain". Dado que su palacio estaba en el distrito de St. Germain, en París, la reina se apresuró a mudarse a otro barrio. No mucho después, se sintió enferma y mandó llamar a un sacerdote. Aquella misma noche murió inesperadamente. ¿El nombre del sacerdote? Jullien de St. Germain.

Leo

23 jul. – 22 ago.

Virgo

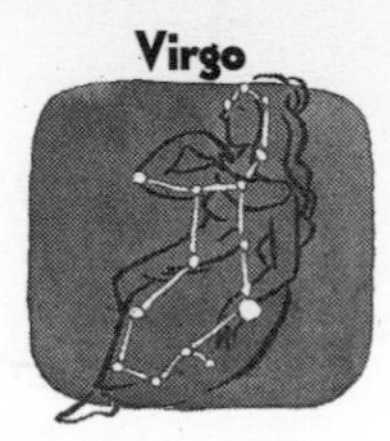

23 ago. – 22 sep.

Libra

23 sep. – 23 oct.

Vínculo astrológico: El rey Jorge III y un herrero llamado Samuel Hemming nacieron en la misma ciudad en el mismo momento, el 4 de junio de 1738. Estos dos gemelos astrológicos se casaron el 8 de septiembre de 1761. Cada uno de ellos tuvo nueve hijos y seis hijas. Ambos cayeron enfermos a la vez y murieron el 29 de enero de 1820. ¿Se trató de una coincidencia, o sus vidas estaban vinculadas por las estrellas? ¿Qué piensa usted?

Escorpión

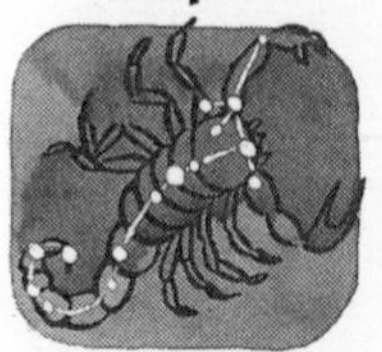

24 oct. – 21 nov.

Sagitario

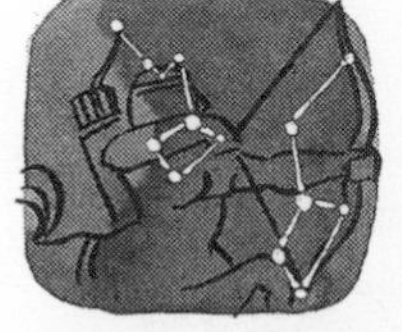

22 nov. – 21 dic.

Capricornio

22 dic. – 19 ene.

¡Aunque Ud. No Lo Crea!®

¿En qué país a las parejas comprometidas para casarse suelen calculárseles los horóscopos para fijar la fecha de la boda, y averiguar si su matrimonio tiene probabilidades de éxito?

a. Noruega
b. Grecia
c. India
d. Israel

Mala estrella: Una noche de marzo, la esposa de Julio César soñó que una estatua de su marido goteaba sangre. A la mañana siguiente, le advirtió que no acudiera al senado, pero él se negó a escucharla. Ese día, 15 de marzo, Julio César fue apuñalado hasta morir por unos senadores que temían que alcanzara excesivo poder.

Caída del cielo: Esquilo (525-426 a.C.), autor griego de tragedias, nunca salía de casa cuando había tormenta, debido a que un astrólogo le había advertido que moriría a causa de un golpe asestado desde el cielo. Un día soleado, Esquilo estaba sentado al aire libre cuando un águila confundió su cabeza calva con una piedra. Soltó una gran tortuga sobre ella con objeto de romper su caparazón, y mató a Esquilo.

¡Aunque Ud. No Lo Crea!®

En Nueva Inglaterra, una predicción insertada como broma en *The Old Farmer's Almanac* se hizo realidad en julio de 1816 cuando . . .

a. llovió 30 días seguidos.
b. nevó tres veces.
c. hubo tres eclipses de sol.
d. la temperatura subió a 38 °C durante 14 días seguidos.

Exprimecerebros

Ha llegado el momento de poner a prueba sus conocimientos sobre lo misterioso y extravagante, lo inexplicable y espantoso, lo increíble y extraño.

Los archivos de Ripley están repletos de información demasiado insólita para creerla. Cada sorprendente rareza demuestra que la verdad supera la ficción. Pero se necesita una visión aguda, una mente perspicaz y un buen instinto para advertir la diferencia. ¿Está usted preparado para el desafío?

Cada Exprimecerebros de Ripley contiene un grupo de cuatro increíbles rarezas. En cada grupo de éstas, sólo **una** es **falsa**. Lea las distintas entradas y señale **¡Créalo!** o **¡No!** Si se cree usted capaz, responda a la pregunta extra de cada sección. Luego, vaya al final del libro, y encontrará dónde llevar la cuenta de su puntuación y evaluar sus capacidades.

¿Qué resulta más extraño, los hechos o la ficción? He aquí su primer y escalofriante desafío. ¿Puede usted percibir cuál de los cuatro extraños relatos siguientes está inventado al 100%?

a. Después de pasarse toda la noche estudiando para un examen final de cálculo, Anika Storm, de 16 años, soñó que resolvía con éxito sus problemas de matemáticas. Anika se sintió muy feliz al día siguiente, cuando se dio cuenta de que la noche anterior, en sueños, ¡había resuelto la mayor parte de los problemas!

¡Créalo! **¡No!**

b. En la década de 1930, la astróloga Evangeline Adams trazó el horóscopo de Estados Unidos. Dado que su nacimiento fue el 4 de julio, su signo es Cáncer. Según su horóscopo, se trata de un país inquieto, con inventiva y dotado de un gran talento.

¡Créalo! **¡No!**

c. Antes de un terremoto que sacudió la Riviera francesa en 1887, los caballos de toda la región se negaron a comer y trataron de abandonar sus establos.

¡Créalo! **¡No!**

d. El cometa Halley puede verse desde la Tierra sólo cada 75 años. Cuando en 1835 nació Samuel Langhorne Clemens, conocido también como Mark Twain, el cometa era visible en el cielo. Twain predijo que de la misma manera que había venido al mundo con el cometa, se iría con él. En abril de 1910 el cometa regresó, y el 21 de ese mes falleció Mark Twain.

¡Créalo! **¡No!**

PREGUNTA EXTRA

John Dee inventó la bola de cristal a mediados del siglo XVI. ¿Cuál era su profesión?

a. Decía la buenaventura en Granada, España.
b. Era un renombrado soplador de vidrio y regentaba una tienda en París, Francia.
c. Era matemático y presidente del Manchester College, en Inglaterra.

CAPÍTULO 2 ¿Coincidencia o destino?

Cuando suceden dos o más cosas notables al mismo tiempo, la mayoría de nosotros lo achaca a mera coincidencia. Pero algunas historias son tan sorprendentes, que resulta difícil no creer que el destino haya intervenido.

A la misma hora un año después: Los hermanos Neville y Erskine L. Ebbin, de Bermuda, murieron con un año de diferencia, atropellados por el mismo taxi con el mismo conductor y transportando al mismo pasajero.

¡Aunque Ud. No Lo Crea!®

En lo más reñido de la batalla, Patrick Ferguson tuvo ocasión de disparar a un hombre por la espalda, pero su sentido del honor no se lo permitió. El hombre a quien salvó la vida era . . .

a. Theodore Roosevelt.
b. Thomas Jefferson.
c. Dwight D. Eisenhower.
d. George Washington.

Guerrera fatal: Jabez Spicer, de Leyden, Massachusetts, murió de dos balazos el 25 de enero de 1787 durante la rebelión de Shays en el arsenal de Springfield. Jabez vestía la guerrera que su hermano Daniel había llevado cuando lo mataron de dos disparos el 5 de marzo de 1784. Las balas que dieron muerte a Jabez atravesaron los mismos orificios abiertos cuando pereció Daniel tres años antes.

Protector de bolsillo: Al detective Melvin Lobbet, de Buffalo, Nueva York, le dispararon a corta distancia con un revólver del calibre 38. Se salvó porque la bala dio en su placa, la cual había ido a caer en el bolsillo de su chaqueta sólo un momento antes.

¡Aunque Ud. No Lo Crea!®

Angel Santana, de la ciudad de Nueva York, escapó indemne cuando la bala de un ladrón rebotó contra su . . .

a. cremallera del pantalón.
b. gafas de sol irrompibles.
c. alianza matrimonial.
d. bíceps derecho.

Talento rompedor: En el siglo XIX, Etienne Laine, un verdulero ambulante que vivía en París, Francia, atrajo la atención del director de la Real Academia de Música cuando sus gritos de "Compren mis espárragos" rompieron una ventana de su oficina. El director quedó tan impresionado que convirtió a Laine en tenor estrella de la ópera de París.

Asalto afortunado: Mel Gibson fue atracado la noche anterior a su primera prueba cinematográfica. Hizo bien en tomar la decisión de acudir de todos modos, pues cuando llegó se enteró de que el papel requería alguien que pareciera fatigado, apaleado y asustado. Obtuvo el papel, el de protagonista en *Mad Max*.

McMúltiples: George McDaniels y toda su familia –padre, madre, hermana, dos hermanos y un tío– nacieron el mismo día del año.

Estadística bisiesta: Elizabeth Elchlinger, de Parma, Ohio, y su hijo Michael nacieron ambos el 29 de febrero, fecha que sólo se da cada cuatro años. Las probabilidades de que madre e hijo nazcan ese día es de una contra más de dos millones.

Gemelos reunidos: Dos familias diferentes adoptaron a los gemelos idénticos Mark Newman y Jerry Levey a los cinco días de nacer. De mayores, ambos fueron bomberos, y en 1954 se encontraron por pura casualidad en una convención de bomberos.

Vidas paralelas: Los gemelos "Jim" fueron separados al nacer y crecieron cada uno por su lado. Pero un estudio de 1979 reveló que ambos hermanos se casaron con mujeres llamadas Linda, luego se divorciaron y se volvieron a casar con mujeres llamadas Betty. Un hermano llamó a su primer hijo James Alan y el otro lo llamó James Allen. Ambos hermanos llamaron *Toy* a su perro y conducían la misma marca de coche. A ambos se les daban bien las matemáticas, eran aficionados al trabajo de carpintería y sufrían frecuentes jaquecas.

Etiquetados al nacer: En 1901 nacieron en París, Francia, los gemelos Meudelle. Cada uno tenía una marca de nacimiento en el hombro, que formaba las iniciales de los abuelos maternos con cuyos nombres fueron bautizados. El niño presentaba las letras T R, del nombre de su abuelo, Theodore Rodolphe. Su hermana mostraba las letras B V, de su abuela Berthe Violette.

¡Aunque Ud. No Lo Crea!®

El signo astrológico de junio representa unos gemelos. El signo se llama . . .

a. Géminis.
b. Sagitario.
c. Tauro.
d. Libra.

Se tragó el pescado y sus palabras: Moses Carlton, un magnate naviero de Wiscasset, Maine, arrojó su anillo de oro al río Sheepscot y se jactó: "Tengo tantas probabilidades de morir pobre como de recuperar este anillo". A los pocos días, Carlton encontró el anillo en un pescado que le sirvieron en un restaurante. No mucho después, el presidente Madison decretó un embargo sobre los barcos americanos, provocando la pérdida de la fortuna de Carlton, y por supuesto murió pobre.

Morirse de risa: Aunque aparentemente gozaba de buena salud, el dramaturgo inglés Edward Moore envió su propia necrológica a los periódicos como una broma, dando como fecha de su muerte el día siguiente. Moore enfermó de súbito y murió ¡al día siguiente!

El vizconde manco: El sexto vizconde de Strathallan, de la isla de Mulligan, Escocia, juró que daría su brazo derecho sano si ganaba un proceso. Ganó, en efecto, el caso y, un mes después, mientras inspeccionaba una fábrica, un volante le cortó el brazo derecho por debajo del codo.

¡Aunque Ud. No Lo Crea!®

Cuando sus soldados se quejaron por estar destinados en ultramar, un capitán del ejército les respondió: "Prefiero estar aquí que ser presidente de Estados Unidos". El nombre de ese futuro presidente era . . .

a. John F. Kennedy.
b. Harry S. Truman.
c. Dwight D. Eisenhower.
d. Andrew Jackson.

¡Rayos! El 4 de julio de 1985 cayó un rayo en la casa de R. Scott Andres, en Virgin Arm, Terranova, Canadá. La noche siguiente, también fue alcanzada por un rayo la casa de su hermana en North Bay, Ontario.

Unidos hasta la muerte: Francesco delle Barche, que vivió en Venecia en el siglo XIV, inventó una catapulta que podía lanzar un proyectil de más de 1,350 kilos. Por desgracia, se enredó en ella durante una batalla y fue lanzado al centro de la ciudad. Su cuerpo golpeó a su propia esposa, y ambos murieron instantáneamente.

Ahogarse a fecha fija: En 1988, Wright Skinner, Jr., cayó en la bahía de Winyah, en Georgetown, Carolina del Sur, el 13 de febrero, y fue la quinta persona que pereció en sus tenebrosas profundidades el mismo día en los últimos 11 años.

Aroma familiar: Un viajero que aguardaba en una estación de ferrocarril de Stillwater, Oklahoma, estaba comiéndose una manzana cuando un desconocido se le acercó y le dijo: "Huele como una manzana de Carolina del Norte". "Así es –replicó el viajero–. Yo soy de Carolina del Norte." "Yo también", replicó a su vez el desconocido. Resultó que ambos eran hermanos y no se habían visto en 30 años.

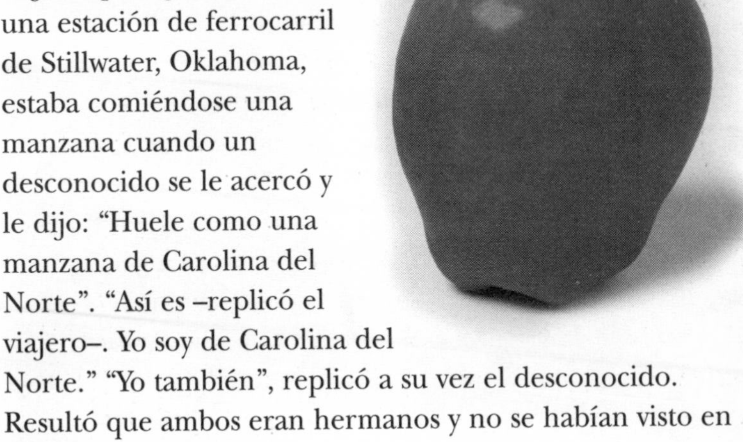

¡Aunque Ud. No Lo Crea!®

La triskaidekafobia está tan extendida, que el 90 por ciento de los rascacielos de Estados Unidos no tienen . . .

a. 13.ª planta.
b. espejos en los pasillos.
c. imágenes de gatos negros.
d. grietas en los pavimentos.

El color del gato: En Estados Unidos, si un gato negro se cruza corriendo en su camino, puede usted esperar alguna forma de mala suerte. En Inglaterra, en cambio, un gato negro cruzándose en su camino significa que le aguarda la buena suerte, mientras que un gato blanco la anuncia mala.

Dos de los presidentes americanos más queridos están vinculados por unas misteriosas coincidencias . . .

- Tanto John F. Kennedy como Abraham Lincoln estaban hondamente comprometidos con la causa de los derechos civiles en su época. En la de Lincoln, esa defensa se concretaba en la abolición de la esclavitud; en los tiempos de Kennedy, en el fin de la segregación

- Ambos fueron asesinados.

- El asesino de Lincoln, John Wilkes Booth, nació en 1839. El de Kennedy, Lee Harvey Oswald, nació en 1939.

- Lincoln tenía un secretario llamado Kennedy, quien le advirtió que no acudiera al teatro la noche en que murió. Kennedy tenía un secretario llamado Lincoln, quien le advirtió que no fuera a Dallas.

✦ A ambos les dispararon en viernes.

✦ Las esposas de ambos estaban presentes cuando sus maridos fueron tiroteados.

✦ Booth disparó contra Lincoln en un teatro y corrió a refugiarse en un almacén. Oswald disparó contra Kennedy desde un almacén y corrió a refugiarse en un teatro.

✦ A ambos les sucedieron hombres llamados Johnson.

✦ Ambos Johnson eran demócratas y del Sur.

✦ El Johnson que sucedió a Lincoln nació en 1808. El Johnson que sucedió a Kennedy nació en 1908.

✦ Los apellidos de ambos presidentes tienen siete letras; el nombre y apellido de sus sucesores, sumados, tienen 13 letras; y el nombre y apellido de sus asesinos, sumados, tienen 15 letras.

¡Aunque Ud. No Lo Crea!®

En 1872, el barón Roemire de Tarazone, de Francia, fue asesinado por un criminal llamado Claude Volbonne. Veintiún años más tarde, su hijo fue asesinado . . .

a. en la misma calle.
b. por el hijo de Claude Volbonne.
c. por otro Claude Volbonne que no estaba relacionado con la muerte del padre.
d. en la misma fecha.

Tempestad providencial: El 14.º Dalai Lama del Tíbet era mantenido prisionero por los comunistas chinos en su propio palacio. Planeó su huida la tarde del 17 de marzo de 1959. Aunque las tropas chinas rodeaban el palacio y se instalaron potentes reflectores en el edificio, el Dalai Lama y 80 compañeros escaparon al abrigo de una súbita tempestad de arena.

Los tres Hugh: En 1664, 1785 y 1820, tres hombres sin relación alguna entre ellos, pero todos llamados Hugh Williams, fueron los únicos supervivientes de otros tantos naufragios.

¡Aunque Ud. No Lo Crea!®

La casualidad no basta para explicar el elevado número de barcos y aviones que han desaparecido en un área del océano Atlántico llamada el . . .

a. Cuadrángulo de las Bahamas.
b. Triángulo de las Bermudas.
c. Cuadrado de Granada.
d. Círculo de Colombia.

Exprimecerebros

A continuación se consignan cuatro insólitas coincidencias que desafiarán su capacidad para distinguir los hechos de la ficción. Sólo uno de estos misteriosos relatos es falso. ¿Puede usted precisar cuál? ¡Arriésguese!

a. En Howe, Indiana, la "Mujer Animal" convivió con mofetas y no se bañó ni se cambió de ropa durante 25 años. Cuando finalmente tomó un baño, ¡murió al cabo de diez días!

¡Créalo! **¡No!**

b. En 1965, Anna Moses, de Pittsburgh, Pennsylvania, consoló a una anciana que estaba llorando en un parque de su vecindad. La invitó a una taza de té y se sentó con ella hasta que se calmó. Treinta años más tarde, Anna recibió una carta de un abogado anunciándole que aquella anciana –que había heredado una gran fortuna tras la muerte de una tía muy querida– acababa de fallecer, dejándole a Anna 500,000 dólares como muestra de gratitud por su amabilidad.

¡Créalo! **¡No!**

c. Stephen Law, de Markham, Ontario, buscaba un anillo que su padre había perdido en las aguas de un lago, a un metro y medio de profundidad. No encontró el anillo de su padre, ¡pero sí uno con un topacio, que su abuela perdió 41 años antes en el mismo lago!

¡Créalo! **¡No!**

d. El cliente de un banco que trató de hacer efectivo un cheque en Monroe Township, Nueva Jersey, fue detenido cuando la cajera resultó ser Linda Brandimato, a quien pertenecía el cheque.

¡Créalo! **¡No!**

PREGUNTA EXTRA

Algunos pudieron decir, al contraer matrimonio el señor Joseph Meyerberg y su esposa, de Brooklyn, Nueva York, que "estaban hechos el uno para el otro". Pero ¿qué descubrieron tras la boda?

a. Que sus bisabuelos provenían de la misma pequeña ciudad de Alemania y fueron novios de muchachos.

b. Que el número de la Seguridad Social de ella era el 064-01-8089 y el de él, el 064-01-8090.

c. Que ambos asistieron juntos al mismo jardín de infancia en Alemania, y fueron muy amigos antes de que sus familias emigraran a Brooklyn.

CAPÍTULO 3

Objetos no tan inanimados

La mayoría de nosotros se burlaría de la idea de que fuerzas desconocidas puedan posesionarse de un objeto inanimado, pero . . .

Esperanza contra esperanza: La mala suerte ha perseguido al diamante Hope (Esperanza) desde que un joyero lo llevó de la India a Francia en el siglo XVII. El joyero fue muerto por una manada de perros enloquecidos. En 1793, sus poseedores, Luis XVI y María Antonieta, fueron decapitados. Tras ser adquirido por Evalyn Walsh McLean, de la alta sociedad americana, su hijo murió en un accidente de auto; su hija, de una sobredosis, y su marido acabó en un hospital psiquiátrico. Hoy este diamante azul, de 45.52 q, se halla intacto en la Smithsonian, al menos por ahora.

¡Aunque Ud. No Lo Crea!®

Un arco es cuanto queda de un puente romano sobre el río Ludias, en Grecia. El resto de las piedras fue saqueado por los campesinos locales, que pararon cuando se percataron de que todo el que había sustraído piedras . . .

a. moría antes de un año.
b. perdía todos sus dientes.
c. perdía sus granjas.
d. contraía la lepra.

Un barco en el firmamento:

En 1647, desapareció un barco inglés que transportaba colonos. Un año más tarde, unos testigos vieron aparecer el barco en el cielo de Nueva Inglaterra, con asombrosa claridad. El poema "El buque fantasma", de Henry Wadsworth Longfellow, conmemora el evento.

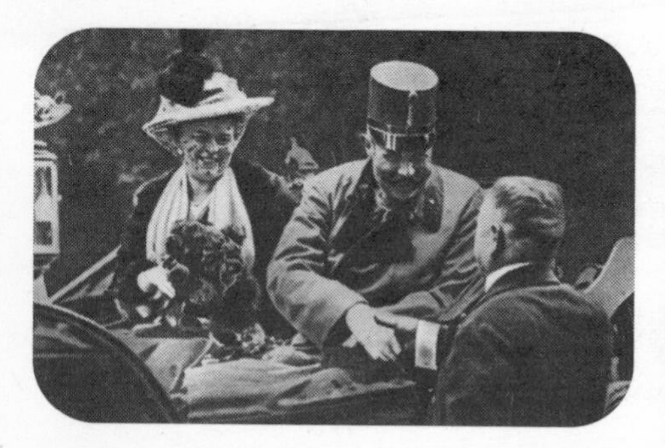

¡Poseído! El asesinato del archiduque Francisco Fernando de Austria desencadenó la primera guerra mundial. El automóvil en el que se perpetró el magnicidio se exhibe ahora en un museo de Viena. Pero antes de que fuera retirado de la circulación, sufrió *nueve* accidentes.

¡Aunque Ud. No Lo Crea!®

Una noche, las cuatro hermanas Harner, que dormían en habitaciones separadas, murieron instantáneamente a causa . . .

a. del mismo meteorito.
b. de la misma bala del calibre 38.
c. del mismo cohete.
d. del mismo rayo.

Boda malograda: La goleta *Susan and Eliza* se fue a pique a causa de una tempestad frente al cabo Ann, Massachusetts. A bordo iba una de las hijas del armador, Susan Hichborn, que se dirigía a Boston para casarse. Los 33 pasajeros perecieron. El único resto que se halló del barco fue un baúl con las iniciales de Hichborn y que contenía sus enseres. El mar lo arrojó a la costa, a los pies del novio que la estaba esperando.

Empeño autodestructor: Un barco fluvial del Mississippi llamado *Jo Daviess* naufragó después de sólo tres viajes. Se recuperó su maquinaria y fue instalada en el vapor *Reindeer*, que también se hundió. Recuperada una vez más, la maquinaria se instaló en el *Reindeer II*, que se fue a pique casi inmediatamente. Luego la maquinaria se empleó para el *Colonel Clay*, que se hundió al cabo de dos viajes. A continuación, se instaló en el S.S. *Monroe*, que resultó destruido por un incendio. Salvada por quinta vez, la maquinaria se utilizó en un molino de maíz, que fue arrasado por el fuego.

Automóvil con problemas: Camino de Salinas, California, el actor cinematográfico James Dean conducía a 130 kilómetros por hora cuando murió a causa de una colisión frontal. Los investigadores quedaron desorientados ante la prueba que sugería que Dean, un conductor experto, no había hecho nada para evitar el choque. Los fans que acudieron en masa al escenario de la tragedia sufrieron heridas al tratar de llevarse piezas del vehículo accidentado.

Un mecánico contratado para restaurar el deportivo se fracturó ambas piernas cuando el automóvil le cayó encima. Dos médicos adquirieron piezas del vehículo para utilizarlas en sus propios autos de carrera. Una vez instaladas las piezas, uno de los médicos murió y el otro sufrió graves heridas. Los dos neumáticos que resultaron intactos se vendieron a un hombre que hubo de ser hospitalizado después de que ambos reventaran al mismo tiempo.

La Patrulla de Autopistas de California se proponía utilizar los restos del automóvil para una exposición, pero la noche antes de que se inaugurase, se declaró un incendio y destruyó todos los vehículos excepto el de Dean, que permaneció intacto. De nuevo era transportado hacia Salinas cuando el conductor perdió el control del camión que lo llevaba.

El conductor pereció al instante. El automóvil de Dean rodó fuera del camión. El subsiguiente esfuerzo por exhibirlo también acabó calamitosamente cuando el automóvil, que había sido reconstruido con todo cuidado, se rompió de manera inexplicable en 11 trozos. La policía de Florida consiguió el vehículo para una exposición sobre seguridad. Pero una vez los fragmentos se hubieron embalado y cargado en un camión, el automóvil desapareció y nunca se lo volvió a ver.

¡Aunque Ud. No Lo Crea!®

Cinco corredores motociclistas que perecieron en choques en un período de cuatro años, tenían al menos una cosa en común al morir. Todos ellos . . .

a. llevaban el mismo casco.
b. conducían la misma motocicleta.
c. llevaban el mismo número de matrícula.
d. iban hablando por sus teléfonos móviles.

Una tumba maldita: Dado que los antiguos egipcios creían que los espíritus de los muertos regresaban a sus cuerpos, momificaban éstos y los depositaban en tumbas selladas. Abrir una tumba equivalía a ofender a los dioses. Entre 1900 y 1976, más de 30 personas que estudiaron tumbas egipcias murieron prematuramente. ¿Pudieron sus muertes ser resultado de una antigua maldición contra la vida de quien osara penetrar en los sepulcros?

¡Tut, tut! Tutankhamon –Tut para abreviar– fue faraón o rey de Egipto de 1361 a 1352 a.C. Es uno de los faraones mejor conocidos porque su tumba y el contenido de ésta permanecieron intactos más de 3,000 años. Aunque los saqueadores violaron la mayoría de las tumbas de los faraones, la de Tut no fue descubierta hasta 1922. En su interior había miles de tesoros, incluido un trono con joyas incrustadas, hecho de plata y oro, y tres sarcófagos decorados, uno dentro de otro. El cuerpo de Tut yacía en el último de los sarcófagos, de oro macizo.

La tumba y la fatalidad: El famoso egiptólogo profesor James Breasted, que se hallaba presente la primera vez que se abrió la tumba de Tut, murió de fiebres. Poco después de cargar el avión con objetos procedentes de la tumba de Tut, los miembros de la tripulación resultaron heridos.

¡Aunque Ud. No Lo Crea!®

En el siglo XVI, algunas medicinas europeas estaban compuestas de ruibarbo mezclado con polvo de . . .

a. sarcófagos de momia.
b. pelo de gatos momificados.
c. vendajes de momia.
d. momias.

La momia embarcada: El trasatlántico *Titanic* se consideraba insumergible. ¿Tendría algo que ver su triste sino con su carga, que incluía 2,200 pasajeros, 40 toneladas de papas, 12,000 botellas de agua mineral, 7,000 sacos de café, 35,000 huevos . . . y una momia egipcia? No hay forma de precisarlo.

Cuidado con la tumba: La tumba del conquistador turco Tamerlán (1336-1405), en Samarcanda, Uzbekistán oriental, llevaba una inscripción que decía: "Si se me devolviera a la tierra, la mayor de las guerras se abatiría sobre este país". Científicos soviéticos interesados en el estudio de la historia de las prácticas funerarias, abrieron la tumba el 22 de junio de 1941 a las 5 de la madrugada, y extrajeron el cuerpo momificado de Tamerlán. En el mismo momento, la segunda guerra mundial llegaba a Samarcanda.

Instinto hogareño: El *Dora*, originariamente un ballenero de Port Townsend, Washington, fue transformado en vapor de línea por Alaska Steamship Lines. En 1907 perdió el ancla en la bahía Cold, en Alaska, navegó sin rumbo durante 92 días y acabó en el que fuera su antiguo puerto, en Washington. Cuando el buque fue varado, se descubrió que el casco había sufrido graves daños, y que se había mantenido a flote gracias a una piedra incrustada en la brecha.

¡Aparta esa mano! En 1884, Walter Ingram regresó a Inglaterra con la mano momificada de una princesa del antiguo Egipto. Adherida a la mano había una placa de oro en la que se leía: "¡Aquel que me lleve a un país extranjero morirá violentamente y sus huesos jamás serán hallados!". Cuatro años más tarde, Ingram fue pisoteado hasta morir por un elefante en Somalilandia. Enterrado en el cauce seco de un río, cuando se envió una expedición para repatriar el cadáver de Ingram a Inglaterra, se descubrió que había sido arrastrado por una crecida.

¡Aunque Ud. No Lo Crea!®

Una goleta de Gloucester, a la deriva y abandonada por su tripulación, emitió una penetrante llamada con su sirena antes de hundirse hasta el fondo del océano. Esta historia inspiró a Henry Wadsworth Longfellow el poema "El naufragio del . . .

a. *Maine"*.
b. *Hesperus"*.
c. *Bounty"*.
d. *Pequod"*.

La reina en su caja: La noche antes de ser enterrada la reina Isabel I de Inglaterra, su ataúd estalló misteriosamente. Aunque éste quedó destruido, el cuerpo de la reina permaneció intacto.

No tan segura:
Blasi Hoffman, un rico avaro de Borken, Alemania, guardaba el dinero cada noche en una caja fuerte en su habitación, y dormía con la llave bajo la almohada. En el momento de su muerte, el 9 de julio de 1843, la puerta de la caja se abrió de golpe.

Control remoto:
Durante la primera guerra mundial, un avión británico de reconocimiento que sobrevolaba el frente occidental, describió amplios círculos durante varias horas y finalmente aterrizó sin contratiempo . . ., pero el piloto y el observador estaban muertos.

¡Aunque Ud. No Lo Crea!®

Treinta años después de matar a un hombre en la isla de Malta, el escultor Melchiore Caffa (1631-1687) se sintió tan culpable, que labró una estatua de su víctima para colocarla en su tumba. Mientras daba los últimos retoques a la estatua . . .

a. se apareció el fantasma de su víctima.
b. se vino abajo y aplastó a Caffa.
c. se desintegró.
d. Caffa fue asesinado.

Exprimecerebros

Está usted a punto de penetrar en un mundo de hechos demasiado extraños para ser creídos. ¡Usted los creerá . . . o no! Tres de las siguientes rarezas de Ripley son totalmente ciertas. Una es del todo ficticia. ¿Puede usted señalar cuál es la ficticia?

a. En las ciudades de las montañas del Nepal, muchas personas creen que trae mala suerte llevar calcetines desparejados mientras se intenta una escalada difícil. Se considera una falta de respeto y, por tanto, una afrenta a la montaña y a los dioses.

¡Créalo! **¡No!**

b. En 1991, un tribunal de apelación del estado de Nueva York declaró oficialmente que una casa de Nyack, Nueva York, estaba encantada.

¡Créalo! **¡No!**

c. En China, muchos hoteles no rotulan el cuarto piso porque el número cuatro coincide, en la escritura china, con el carácter que designa la muerte.

¡Créalo! **¡No!**

d. Un álamo plantado en Jena, Alemania, en 1815 para celebrar el fin de la guerra napoleónica con Francia, se derrumbó de pronto 99 años después, el 1 de agosto de 1914, comienzo de la primera guerra mundial.

¡Créalo! **¡No!**

PREGUNTA EXTRA

El ojo de Horus, dios del antiguo Egipto, era un símbolo de protección y curación. ¿Qué símbolo contemporáneo deriva de él?

a. El signo Rx utilizado por los médicos en las recetas.

b. El símbolo @ utilizado en las direcciones de correo electrónico.

c. El símbolo de la paz.

CAPÍTULO 4

Aparecidos, espectros y brujas

Casi una docena de fantasmas han vagado por la Casa Blanca, muchos de ellos, ex presidentes. Entre los que han admitido haber visto esos fantasmas figuran Mary Todd Lincoln, Harry Truman y William Howard Taft.

Imagen espectral: Claro que no es un fantasma . . ., pero, entonces, ¿quién está de pie detrás de Mary Todd Lincoln en esta foto tomada muchos años después de la muerte de Abraham Lincoln? ¿Es el fantasma de Lincoln? ¿Una ilusión óptica? ¿Un fraude?

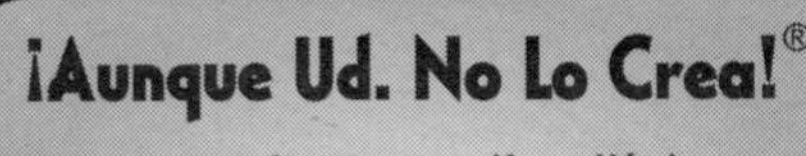

Aunque no haya nadie allí, los miembros de la familia oyen a menudo a niños correr y reír en el tercer piso de la mansión Custis-Lee, donde en otro tiempo residió . . .

a. Bruce Lee.
b. Light-Horse Harry Lee.
c. Gypsy Rose Lee.
d. Robert E. Lee.

Corredores encantados: Poco antes de su muerte, Abraham Lincoln les contó a varias personas un sueño que había tenido. En él, Lincoln vio un ataúd expuesto en la Estancia Este. Cuando preguntó quién había muerto, le dijeron: "El presidente. Ha sido asesinado". No mucho tiempo después, el presidente Lincoln fue alcanzado por la bala de un criminal. Desde entonces, numerosas personas que han trabajado en la Casa Blanca han informado haber visto el fantasma de Lincoln vagar por los corredores.

Un espíritu burlón: Cuando Andrew Jackson era presidente, su dormitorio se hallaba en lo que ahora se conoce como la Estancia Rosa. Tras la muerte del presidente Jackson, se oyó una profunda carcajada procedente de su habitación. Quienes trabajaron en la Casa Blanca durante su mandato reconocieron la risa de Jackson. Desde entonces se ha escuchado al menos una vez cada cuatro años.

Juergas fantasmales: Los alumnos de la escuela profesional de arte Burnley, de Seattle, Washington, se han acostumbrado a tener algunas visiones insólitas:

escritorios que parecen moverse por sí solos, puertas cerradas que se abren misteriosamente, ruido de pasos en escaleras desiertas. ¿Quién podría ser el responsable? ¿Acaso los fantasmas de antiguos estudiantes?

¡Aunque Ud. No Lo Crea!®

¿Qué lugar característico de Inglaterra se dice frecuentado por los fantasmas de Sir Walter Raleigh y Ana Bolena?

a. el palacio de Buckingham
b. la abadía de Westminster
c. el castillo de Windsor
d. la Torre de Londres

Gritos de ultratumba: Su esposo, el rey Enrique VIII, la mandó decapitar. Entonces ¿por qué los sirvientes de Hampton Court, en Inglaterra, juran que Catalina Howard continúa rondando por el castillo? Debe de ser por los gritos, que hielan la sangre y que provienen de sus antiguos aposentos.

Fantasma amistoso: A Christoph Gluck, compositor alemán que vivió en el siglo XVIII, le fue bien creer en los fantasmas. Gluck quedó espantado después de ver una aparición de sí mismo penetrar en su habitación, y se negó a dormir allí aquella noche. A la mañana siguiente, Gluck descubrió que el techo de la habitación se había derrumbado sobre su cama y le hubiera matado de haber dormido en ella.

Zurich para no dormir: Durante 900 años, nadie ha sido capaz de pernoctar en cierto castillo de Hapsburg, cerca de Zurich, Suiza. ¿Por qué? Porque el fantasma de una mujer asesinada sigue gritando aterrorizada todas las noches sin faltar una sola. En fecha tan reciente como 1978, un incrédulo, Horst von Roth, que trató de pasar allí una noche, huyó horrorizado de la mansión encantada.

¿Beatlemanía? Los miembros de los Beatles, el mundialmente famoso grupo de rock, sentían que podían hablar con su representante, Brian Epstein, y recibir mensajes de él después de muerto.

Apariciones angélicas: Cuando el automóvil de los Wilcox se averió en Nuevo México en 1966, una familia mexicana llamada Ángel les ofreció comida y cobijo. Un año más tarde, el señor Wilcox se detuvo allí para saludarles, pero, para su sorpresa, en la casa vivía otra familia, y nadie había oído hablar siquiera de la familia Ángel.

El fantasma de arriba: En la década de 1970, el actor Richard Harris era regularmente despertado a las 2 de la madrugada por un portazo en el gabinete y un rumor de piececitos corriendo arriba y abajo de la escalera de la torre de su casa. Sólo después de instalar un cuarto de niños arriba y llenarlo de juguetes, mejoró la conducta del fantasma. El actor dice haber sabido que el fantasma era un niño, porque unos viejos archivos revelaron que uno de ocho años fue sepultado en la torre.

¡Aunque Ud. No Lo Crea!®

En la década de 1750, Nellie Macquillie fue ahogada en un estanque de Carolina del Norte. Su fantasma aún se ve en las inmediaciones, llevando la cabeza bajo el brazo. Es conocida como . . .

a. Nellie Sin Cabeza.
b. Nellie Sin Coco.
c. el Espíritu del Estanque.
d. la Sirena Sin Cabeza.

La fortuna de las brujas: El castillo de Johannesburg, en Aschaffenburg, Alemania, se construyó entre 1607 y 1614. Se sufragó enteramente con la fortuna confiscada a mujeres condenadas por brujería.

¡Aunque Ud. No Lo Crea!®

Si vive usted en Phoenix, Arizona, y sus antepasadas fueron brujas, puede adherirse a una organización llamada . . .

a. Hombres Perversos del Oeste.
b. La Camada de la Escoba.
c. Aprendices de Brujo.
d. Hijos de las Brujas.

Testigo ocular: El Ojo de la Bruja, cerca de Thann, Francia, se usó durante años como prisión para personas acusadas de brujería. Es la única parte del castillo de Englesbourg que permanece en pie.

Histeria brujeril: En 1692, varias niñas manifestaron estar atormentadas por las brujas. Como resultado de ello, 19 personas de Salem, Massachusetts, fueron detenidas, condenadas por brujería y ahorcadas. Un hombre que se negó a ser juzgado, fue aplastado hasta morir.

¡Fuera brujas! En el siglo XIX se fabricaban en Estados Unidos bolas de cristal que se colgaban en las ventanas de las casas para repeler los malos conjuros de las brujas.

¿Eran brujas? Los cazadores de brujas europeos del siglo XVI usaban sondas puntiagudas para buscar en las víctimas la "marca del diablo": zonas de la piel, como una cicatriz curada, que no sangraran.

Cruzada de hogueras:

Mathew Hopkins era el "buscador general de brujas" en la Inglaterra del siglo XVII. Viajaba por todo el país desempeñando su horrible misión. Determinaba la culpabilidad arrojando a la persona sospechosa a un pozo. Si flotaba era bruja, y debía ser quemada en la hoguera.

¡Aunque Ud. No Lo Crea!®

En 1474, en la ciudad de Basilea, Suiza, a un animal se le juzgó y se le consideró culpable de brujería. ¿Era . . .

a. un gallo que puso un huevo?
b. una gallina que cantó como un gallo?
c. un perro, por no ladrar a unos intrusos?
d. una vaca, por no dar leche?

Exprimecerebros

Usted ya conoce en qué consiste el ejercicio. ¡Adelante!

a. En 1574, Margaret Erskine, de Dryburgh, Escocia, murió de repente y fue sepultada en el mausoleo familiar. Aquella noche, cuando el sacristán, encargado del cuidado de la iglesia, trató de robarle un anillo que llevaba en el dedo, la muerta se sentó en su ataúd y gritó. ¡Vivió 51 años más!

¡Créalo! **¡No!**

b. Pedro III de Rusia murió asesinado en 1762 a los 34 años. Fue coronado emperador de Rusia 34 años después. ¡Hubo que abrir su ataúd para poder colocarle la corona en la cabeza!

¡Créalo! **¡No!**

c. En 1985, Eric Villet, de Orléans, Francia, fue oficialmente declarado muerto después de que los médicos no consiguieran reanimarlo con masaje cardíaco y oxígeno. Empezó a respirar por sí mismo tres días después, ¡cuando yacía en el depósito de cadáveres!

¡Créalo! **¡No!**

d. El 16 de mayo de 1997, William A. Hershorn tomó un atajo a través del cementerio, camino de su casa. Tropezó con una lápida recién colocada, con el nombre W. A. Hershorn grabado en ella, junto con la fecha del fallecimiento, 16-5-97. Presa del pánico, William salió corriendo del cementerio, y al llegar a la calle fue atropellado y muerto por un automóvil.

¡Créalo! **¡No!**

PREGUNTA EXTRA

¿Con qué propósito creó el legislativo estatal el Santuario de Monstruos del río White, en Newport, Arkansas?

a. Para ilegalizar el vandalismo contra la estatua de un monstruo marino al que se atribuían poderes curativos.

b. Para ilegalizar que "se acosara, diera muerte o pisoteara" un legendario monstruo marino.

c. Para ilegalizar que se matara o hiriera a un monstruo de Gila, un gran lagarto venenoso, negro y anaranjado, que puebla la zona.

CAPÍTULO 5

Puro misterio

Algunos episodios de la vida real aventajan en extravagancia a los relatos más disparatados, soñados por los narradores más imaginativos.

Como si el príncipe siguiera con vida: En 1861 falleció el príncipe Alberto, esposo de la reina Victoria de Inglaterra. Durante los 40 años siguientes, ella mandó que todos los días se tuviera dispuesta en el castillo de Windsor la ropa de etiqueta del príncipe.

¡Aunque Ud. No Lo Crea!®

En el Museo de Historia de la Ciencia de Florencia, Italia, se exhibe algo que perteneció a Galileo. Su . . .

a. primer telescopio
b. dedo medio
c. cuaderno
d. cráneo

Fría recepción: Imelda Marcos dio una fiesta en honor de su difunto marido, por su 73 cumpleaños. El ex presidente de Filipinas asistió, pero no fue una buena compañía, pues llegó congelado en su ataúd.

Cabezas reducidas: El secreto de la reducción de cabezas permaneció celosamente guardado hasta que, de alguna forma, Robert Ripley se hizo con él. Esto es lo que averiguó sobre el proceso. En primer lugar, se decapitaba a la víctima. A continuación el cuero cabelludo se cortaba por la mitad y por la abertura se extraía el cráneo. Luego se cosían los labios, y la cavidad se llenaba de piedras y arena calientes. Finalmente la cabeza se cerraba cosiéndola, y se hervía en una infusión de hierbas hasta que se encogía y alcanzaba el tamaño de un puño. Los jíbaros de la selva del Amazonas, en Sudamérica, creían que poseer la cabeza de un guerrero equivalía a conservar para sí todos sus poderes.

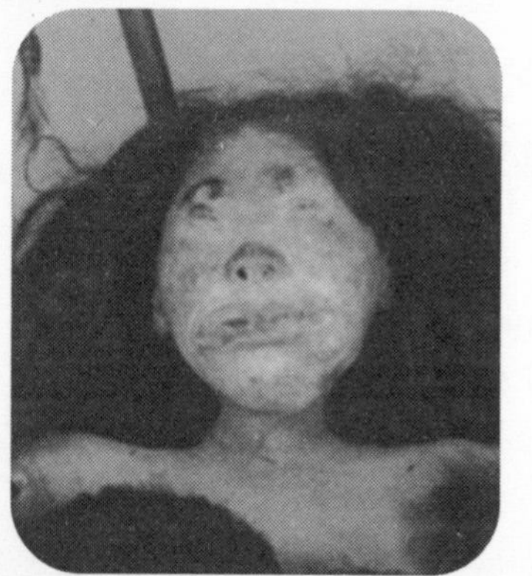

Figura repulsiva: Por lo general, los jíbaros no reducían cabezas femeninas. Sin embargo, a principios del siglo XX se preparaba la parte superior del cuerpo de mujeres para vendérsela a los turistas.

Salvada por los pelos (de un gato): Durante una travesía por mar, la marquesa de Maintenon, de tres años de edad, fue declarada muerta e introducida en un saco, que se cosió, para ser arrojado por la borda. Por suerte, su gatito se había deslizado dentro del saco y empezó a maullar durante el funeral. Los familiares interrumpieron la ceremonia, abrieron el saco y descubrieron que la niña respiraba. Con el tiempo se convirtió en la segunda esposa de Luis XIV, y vivió hasta los 84 años.

Un bebé en el bosque: Diego Quiroga, que se separó de su esposa mientras huían de Madrid durante la invasión francesa de 1811, encontró a un recién nacido llorando en un campo cubierto de nieve. Envolvió al bebé en una manta y lo llevó a la aldea de Venta del Pinar. Allí supo que la criatura era su propia hija, nacida sólo unas horas antes y abandonada por un ama en medio de la confusión de la huida.

¡Aunque Ud. No Lo Crea!®

Joseph Friedrich (1790-1873), de Berlín, Alemania, reprodujo en una miniatura de marfil la iglesia de San Nicolás. Al modelo le salió una grieta, y pocas semanas más tarde apareció otra en la iglesia, exactamente en el mismo lugar. Friedrich . . .

a. fue ahorcado públicamente.
b. perdió la razón.
c. murió de miedo.
d. fue alcanzado por un rayo.

Ventanas del alma:

En los Grisones, Suiza, los dormitorios tienen una ventanita que sólo se abre cuando el ocupante se está muriendo, para permitir que escape por ella el alma.

¡Aunque Ud. No Lo Crea!®

Algunas personas pagan a psíquicos para que les predigan el futuro examinándoles . . .

a. la palma de la mano.
b. la planta del pie.
c. las rodillas.
d. los ojos.

Paloma afligida:

Un extraño suceso se produjo durante el funeral del capitán Joseph Belain, el hombre que había dedicado su vida a salvar de la extinción las palomas mensajeras. Como si se tratara de un homenaje, una paloma mensajera llegó volando desde el mar, se posó en el féretro y permaneció allí hasta el final de la ceremonia.

Bache fatal: La condesa Marie Arco, de Austria, encontró el equivalente de 50,000 dólares en ducados de oro en su jardín, pero nunca gastó una sola moneda. En lugar de eso, guardó el dinero en un cofre y lo depositó en la red de equipajes de su carruaje. Llevaba su fortuna dondequiera que fuese, hasta que, el 23 de junio de 1848, un bache en la carretera desequilibró el cofre del tesoro, que le cayó encima y la mató.

A la tercera va la vencida: En 1803, Joseph Samuels, condenado a muerte en la horca por robo con violencia en Hobart Town, Australia, fue indultado por el gobernador después de que la soga se rompiera tres veces.

La tapa de los sesos: En la iglesia de la Sainte Chapelle de París, Francia, hay un busto del rey Luis IX (1214-1270). ¿Cuál es su singularidad? Que un fragmento del cráneo del monarca se halla debajo mismo de la real corona puesta en la cabeza de la escultura.

Sin voz ni voto: Jeremy Bentham, fundador del hospital universitario de Londres en 1827, estableció que no se celebrara ninguna junta directiva sin su presencia. Tras su fallecimiento en 1832, su cadáver fue sentado a la mesa de juntas. Hoy día una réplica en cera sigue ocupando el lugar de Bentham, mientras que su auténtico cráneo reposa sobre la mesa. Dado que Bentham no puede tomar parte activa en las reuniones, se le considera "presente, pero sin voto".

Como un dolor de cabeza: En 1867, William Thompson, de Omaha, Nebraska, fue tiroteado por americanos nativos de la tribu cheyenne. Dándolo por muerto, le arrancaron el cuero cabelludo. Imaginen su sorpresa cuando Thompson recobró el conocimiento, agarró la cabellera y echó a correr. Más adelante, donó su cuero cabelludo a la Biblioteca Pública de Omaha.

Osario decorativo: A menos de 10 kilómetros al este de Praga, República Checa, hay una capilla de 800 años de antigüedad enteramente decorada con huesos. Éstos se hallan por doquier, confiriendo a la capilla una apariencia delicada y como de filigrana. Un tallista de madera checo llamado Frantisek Rint utilizó los huesos de 40,000 personas porque, según cuenta la historia, el cercano cementerio estaba lleno, y eran muchos los que ansiaban ser sepultados allí.

¡Aunque Ud. No Lo Crea!®

Entre la carga que viajó al espacio en la lanzadera espacial Discovery en 1990 figuraba . . .

a. una calavera humana.
b. un cerebro de mono.
c. un renacuajo.
d. un globo ocular humano.

No era culpable:
Oswald Kröl, de Lindau, Alemania, fue condenado y ejecutado por asesinato en 1650. Luego, Kröl fue exculpado. A partir de ese día, su esqueleto se colocó ante el juez que había pronunciado la sentencia de muerte.

La llamada del muerto:
Aunque muy versado en ciencia, a Thomas Edison también le interesaba el mundo psíquico. De hecho, inventó (aunque nunca patentó) una máquina para comunicarse con los muertos.

¡Aunque Ud. No Lo Crea!®

En las bodas que se celebran en Borneo, se coloca una calavera humana entre la novia y el novio como símbolo . . .

a. de la muerte, la pena impuesta por infidelidad.
b. de que el amor puede sobrevivir a la muerte.
c. de que los antepasados velan por ellos.
d. de que los hijos les sobrevivirán.

No te vayas de casa sin él: En época victoriana, los equipos contra los vampiros constaban de todo lo necesario para sobrevivir a unas vacaciones en Transilvania: un collar de ajos, una ampolla de agua bendita, una estaca de madera y una pistola en forma de crucifijo que disparaba balas de plata.

El túnel iluminado: El túnel de Posilipo, en Nápoles, Italia, mide 24.5 metros de altura, 6.70 de anchura y 800 de longitud. Queda completamente iluminado por el sol una sola vez al año: al atardecer del día de difuntos.

Celebración espiritual: En México se cree que los muertos regresan una vez al año para visitar a sus seres queridos. Para hacerles sentir que son bienvenidos, los parientes celebran el Día de los Muertos los dos primeros días de noviembre, cubriendo las tumbas de flores y velas.

Festejo en el camposanto: En Madagascar, una isla frente a la costa de África, muchas personas creen que honrar a sus difuntos con una suntuosa fiesta procurará buena fortuna a toda la familia. Más o menos cada cinco años, las familias celebran una fiesta llamada Famadihana, en cuyo transcurso exhuman a sus parientes difuntos, les cuentan las novedades familiares más importantes e incluso bailan con ellos. Luego, amortajan de nuevo los cuerpos y los devuelven a sus tumbas.

Trabajar con los cuerpos: En el siglo XVIII, Honoré Fragonard, profesor de anatomía en una escuela de veterinaria, creó objetos extravagantes a partir de cadáveres animales y humanos. Según Christophe Degueurce, conservador del Museo Fragonard, este último conseguía cadáveres en las escuelas de veterinaria y medicina, de las ejecuciones e incluso en tumbas recientes. Les retiraba la piel, diseccionaba todos los músculos y los nervios, inyectaba cera en los vasos sanguíneos y sumergía los cuerpos en alcohol durante días. Finalmente, los colocaba en complicadas posturas y los secaba con aire caliente.

¡Ay! Cuando un tallista de madera llamado Masakichi descubrió que iba a morir, decidió dejar una "imagen viva" de sí mismo a sus seres queridos. Después de arrancarse dolorosamente todos los pelos de cada poro de su cuerpo, los insertó de uno en uno en su lugar correspondiente en una estatua de sí mismo que había labrado. Incluyó las cejas y las pestañas, y luego, para dar los últimos toques, se arrancó las uñas de manos y pies y los dientes y los encajó en su escultura.

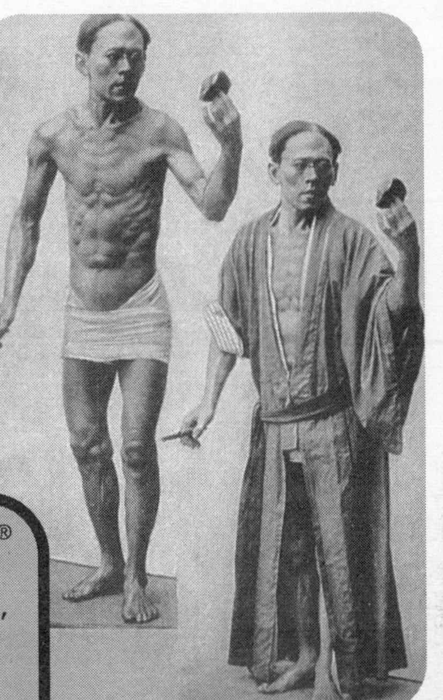

¡Aunque Ud. No Lo Crea!®

En el monte Minobu, en Japón, los monjes budistas rinden homenaje a la tumba de Nichieren, fundador de una secta japonesa, . . .

a. colocándose cinco velas en cada brazo extendido y dejándolas arder hasta llegar a la carne.
b. permaneciendo junto a la tumba dos semanas sin alimento ni cobijo.
c. caminando de rodillas hasta el lugar donde se halla la tumba.
d. permaneciendo un día entero con los brazos en alto.

Tumba giratoria: La tumba de Charles Merchant consiste en una gran esfera negra de granito, que ha girado sobre su pedestal de piedra una vez al año desde que se instaló, pese a que se empleó plomo y cemento para evitar el fenómeno.

Efectos especiales: Pocos años después de la muerte de Smith Treadwell, apareció en su lápida un retrato exacto a él.

¡Aunque Ud. No Lo Crea!®

La tumba del compositor Wolfgang Amadeus Mozart, en el cementerio de San Marx, en Viena, Austria, es notoria porque . . .

a. está inacabada.
b. no contiene ningún cuerpo.
c. tiene forma de flauta.
d. tiene forma de clavicémbalo.

Rayo por partida doble: Un rayo destrozó la tumba de T. G. Brownell, a quien había matado un rayo.

Miles y Miles: En 1969, Miles Lucas, de Nueva Jersey, salió despedido de su vehículo cuando éste se estrelló contra la tapia de un cementerio. Lucas se alejó caminando del lugar del accidente, pero su automóvil siguió avanzando y no se detuvo hasta que, finalmente, dio con una lápida. El nombre que figuraba en ella era Miles Lucas, sin relación alguna con el anterior.

Con mal pie: El epitafio de Jonathan Blake constituye una advertencia para los amantes de la velocidad. Se lee: Aquí yace Jonathan Blake / Apretó el acelerador en lugar del freno.

Último acto: Por un extraño e insólito giro del destino que él mismo hubiera apreciado, Ripley sufrió un colapso en 1949 durante la realización del 13.er episodio de su apasionante serie semanal de televisión. El fragmento consistía en una secuencia dramatizada de "Toque de silencio", una tonada insistentemente triste que se interpreta en los funerales militares. Ripley murió dos días más tarde y fue enterrado en Santa Rosa, California, su ciudad natal, en un cementerio llamado Oddfellows (Tipos raros).

¡Aunque Ud. No Lo Crea!®

El monumento conmemorativo de Ripley, en una iglesia de Santa Rosa, California, se hizo con . . .

a. una losa de granito de dos toneladas.
b. ocho millones de cerillas.
c. una sola secoya gigante.
d. cinco mil rosas que se sustituyen cada semana.

Exprimecerebros

Directamente de los extravagantes y heterogéneos archivos del señor Robert L. Ripley, he aquí cuatro sucesos que son un puro misterio. Pero uno de ellos está totalmente inventado. ¿Puede usted averiguar cuál es?

a. Cuando Helen Jensen era niña, se tragó una aguja. ¡Ay! Treinta años después la encontró en el muslo de su bebé recién nacido.

¡Créalo! **¡No!**

b. Un muchacho acudió al médico a causa de una llaga en el pie, y resultó que le estaba creciendo un diente en el empeine.

¡Créalo! **¡No!**

c. Brett Martin fue al médico quejándose de un fuerte dolor de oído, y resultó que una pareja de cucarachas vivía en su oído interno.

¡Créalo! **¡No!**

d. Un hombre salió del hospital una vez recuperado de un golpe, y de repente empezó a hablar con acento escandinavo.

¡Créalo! **¡No!**

PREGUNTA EXTRA

El libro que contiene la transcripción del proceso en el que, en 1828, William Corder fue condenado por asesinato, puede verse en el Museo Moyses Hall de Bury Saint Edmunds, Inglaterra. ¿Qué tiene de especial ese libro?

a. El texto está escrito con la propia sangre de Corder.

b. El texto está encuadernado con la piel del propio Corder.

c. El texto emite un brillo rojo cada año, en el aniversario del proceso de Corder.

TEST POP

**¡Ni se le ocurra cerrar este libro!
Los Exprimecerebros de Ripley aún no han acabado. ¿Hasta qué punto *Casos insólitos* ha golpeado su cerebro? ¿Qué cantidad de conocimientos de Ripley ha acumulado? ¡Es tiempo de averiguarlo! Señale con un círculo sus respuestas y anótese cinco puntos por cada acierto.**

1. ¿Cuál de los siguientes supuestos *no* es un ejemplo del sexto sentido conocido como PES?
a. Una mujer que puede predecir el fallo de los procesos judiciales.
b. Una niña que tiene una visión de la muerte de su mascota antes de que ocurra.
c. Una mujer que puede enumerar los ingredientes de cada perfume que huele.
d. Una mujer que puede pasar las manos sobre un mapa y señalar los lugares donde se hallará petróleo.

2. Los animales poseen sorprendentes "sextos sentidos" que les son propios. Después de que un hombre pereciese mientras cruzaba las vías del ferrocarril, el perro de Harry Goodman aullaba asustado siempre que se aproximaban al escenario del accidente . . . ¡pese a que el perro no estuvo allí cuando ocurrió!

¡Créalo! **¡No!**

3. De los siguientes supuestos, ¿qué *no* creen los seguidores de la astrología que afecta la vida de una persona?

a. La luna llena

b. La hora, el día y el mes de nacimiento de esa persona

c. La distribución del mobiliario y otros enseres en una habitación

4. ¿Cuál de las siguientes coincidencias extrañas *no* es cierta?

a. Los hermanos Ebbin, de Bermuda, murieron con un año de diferencia después de haber sido atropellados por el mismo taxi conducido por el mismo taxista, que transportaba al mismo pasajero.

b. George McDaniels y su padre, su madre, su hermana, dos hermanos y un tío celebran el cumpleaños el mismo día.

c. Kathy Moriarty y sus siete hermanas tienen idénticas marcas de nacimiento en el mismo lugar. Cada hermana tiene un lunar en forma de media luna en mitad de la mejilla izquierda.

5. A principios del siglo XX, Harvey Lake, revisor de un tren en Nueva Jersey, impresionó al director artístico de la Academia de Música cuando anunció los destinos, cantándolos con una hermosa voz de tenor. Inmediatamente, el director ofreció a Lake un puesto como tenor estrella en la Ópera de Nueva York.

¡Créalo! **¡No!**

6. ¿Cuál de los siguientes vínculos entre Abraham Lincoln y John F. Kennedy *no* es cierto?

a. A ambos les dispararon en viernes.

b. Las esposas de ambos presenciaron el atentado.

c. Ambos fueron asesinados en un teatro.

7. ¿Cuál de los siguientes objetos se cree que *no* está maldito?
a. El diamante Hope
b. El automóvil en el que se mató James Dean
c. El automóvil en el que fue asesinado John F. Kennedy
d. La tumba de Tutankhamon, faraón de Egipto de 1361 a 1352 a.C.

8. Los antiguos egipcios creían que el espíritu de una persona regresaba a su cuerpo tras la muerte.También creían que abrir una tumba era ofender a los dioses y significaba atraerse una maldición.

¡Créalo! **¡No!**

9. El poema "*El buque fantasma*", de Henry Wadsworth Longfellow, trata . . .
a. de un barco que desapareció en 1647 y apareció como una visión en el cielo un año más tarde.
b. del *Titanic*, que transportaba una antigua momia egipcia cuando se hundió.
c. de un barco fluvial del Mississippi que se hundió al cabo de sólo tres viajes. Sus máquinas fueron instaladas en otros cuatro barcos. Tres se fueron a pique y uno resultó destruido por el fuego.

10. ¿En cuál de los siguientes lugares *no* se han visto fantasmas, según los archivos de Robert Ripley?
a. La Casa Blanca
b. La escuela elemental donde estudió el ex presidente Bill Clinton
c. La Torre de Londres
d. La escuela profesional de arte Burnley, de Seattle, Washington

11. **¿Cuál de los siguientes presidentes de Estados Unidos *no* creen algunos que aún merodea por la Casa Blanca?**

a. Abraham Lincoln
b. Andrew Jackson
c. Richard M. Nixon

12. Tres hombres llamados Charles Fairwell, sin relación alguna entre ellos, fueron los únicos supervivientes de tres accidentes de aviación en 1942, 1964 y 1985.

¡Créalo! **¡No!**

13. Los cazadores de cabezas jíbaros del Amazonas a menudo reducían cabezas de hombres. Las mujeres se libraban de ser sus víctimas, al menos hasta principios del siglo XX, cuando la parte superior de los cuerpos femeninos solía prepararse para venderla a los turistas.

¡Créalo! **¡No!**

14. **¿Cuál de las siguientes prácticas *no* se usa para predecir el futuro?**

a. Quiromancia
b. Astrología
c. Numerología
d. Paleontología

15. **El busto del rey Luis IX en la iglesia de la Sainte Chapelle, en París, Francia, es sorprendente porque . . .**

a. la nariz del busto es la auténtica de Luis, conservada.
b. un fragmento del cráneo de Luis se halla bajo la corona en la cabeza de la escultura.
c. mechones del cabello de Luis, pestañas y cejas están adheridos a la escultura.

Solucionario

Capítulo 1

¡Aunque Ud. No Lo Crea!

Página 5: **a.** precognición.
Página 7: **d.** percepción extrasensorial.
Página 9: **c.** Lyndon B. Johnson
Página 11: **c.** Nostradamus.
Página 13: **b.** hay luna llena.
Página 15: **b.** su propia muerte por causas naturales.
Página 17: **c.** Theodore Roosevelt.
Página 19: **c.** India
Página 20: **b.** nevó tres veces.
Exprimecerebros: **a.** es falso
Pregunta extra: c.

Capítulo 2

¡Aunque Ud. No Lo Crea!

Página 23: **d.** George Washington.
Página 24: **a.** cremallera del pantalón.
Página 27: **a.** Géminis.
Página 29: **b.** Harry S. Truman.
Página 31: **a.** 13.ª planta.
Página 33: **c.** por otro Claude Volbonne que no estaba relacionado con la muerte del padre.
Página 34: **b.** Triángulo de las Bermudas.
Exprimecerebros: **b.** es falso
Pregunta extra: b.

Capítulo 3

¡Aunque Ud. No Lo Crea!

Página 37: **a.** moría antes de un año.
Página 38: **d.** del mismo rayo.
Página 41: **a.** llevaban el mismo casco.
Página 43: **d.** momias.
Página 45: **b.** *Hesperus*".
Página 46: **b.** se vino abajo y aplastó a Caffa.
Exprimecerebros: a. es falso
Pregunta extra: a.

Capítulo 4

¡Aunque Ud. No Lo Crea!

Página 49: **d.** Robert E. Lee.
Página 51: **d.** la Torre de Londres
Página 53: **a.** Nellie sin Cabeza.
Página 54: **d.** Hijos de las Brujas.
Página 56: **a.** un gallo que puso un huevo?
Exprimecerebros: d. es falso
Pregunta extra: b.

Capítulo 5

¡Aunque Ud. No Lo Crea!

Página 59: **b.** dedo medio.
Página 61: **c.** murió de miedo.
Página 62: **a.** la palma de la mano.
Página 65: **a.** una calavera humana.
Página 66: **b.** de que el amor puede sobrevivir a la muerte.
Página 69: **a.** colocándose cinco velas en cada brazo extendido y dejándolas arder hasta llegar a la carne.
Página 70: **b.** no contiene ningún cuerpo.
Página 72: **c.** una sola secoya gigante.

Exprimecerebros: **c.** es falso
Pregunta extra: **b.**

Test Pop

1. **c.**
2. **¡Créalo!**
3. **c.**
4. **c.**
5. **¡No!**
6. **c.**
7. **c.**
8. **¡Créalo!**
9. **a.**
10. **b.**
11. **c.**
12. **¡No!**
13. **¡Créalo!**
14. **d.**
15. **b.**

¿Cuál es su lugar en la Clasificación de Ripley?

El marcador de Ripley

¡Felicidades! Usted ha exprimido su cerebro a propósito de algunos hechos disparatados e insólitos, y ha desafiado su capacidad para distinguir realidad y ficción. Ahora puede cuantificar sus conocimientos Ripley. ¿Es usted un Superstar de lo Espantoso o un Realista de Ripley? Compruebe las respuestas en el Solucionario y utilice esta página para dejar constancia de los aciertos. Luego súmelos y averigüe su puntuación.

Calcule su clasificación:

★ **10 puntos** por cada **¡Aunque Ud. No Lo Crea!** al que responda correctamente.

★ **20 puntos** por cada hecho ficticio que señale en los **Exprimecerebros de Ripley**.

★ **10** por cada **Pregunta Extra** a la que responda bien.

★ y **5** por cada pregunta del **Test Pop** contestada correctamente.

Anote aquí su puntuación:

Número de respuestas correctas de **¡Aunque Ud. No Lo Crea!**: _____ x 10 = ______

Número de respuestas correctas de **Exprimecerebros de Ripley**: _____ x 20 = ______

Número de respuestas correctas de **Preguntas Extra**: _____ x 10 = ______

Total capítulo: ______

Anote los totales de cada capítulo y del Test Pop en los espacios que siguen. Luego súmelos para obtener su PUNTUACIÓN FINAL. Su PUNTUACIÓN FINAL determina su clasificación:

Total capítulo uno: ________
Total capítulo dos: ________
Total capítulo tres: ________
Total capítulo cuatro: ________
Total capítulo cinco: ________
Total Test Pop: ________

PUNTUACIÓN FINAL: ________

525-301
Superstar de lo Espantoso

Es usted excelente en asuntos misteriosos. Posee un sexto sentido para lo espantoso y capta bien lo sangriento. Su dominio de los temas de Ripley es sobresaliente. Nada le sorprende. Y no se le pasa nada: ¡puede señalar una supercheria a kilómetros de distancia! Su capacidad para distinguir la realidad de la ficción está fuera de lo común y resulta sorprendente. Es usted una fuerza con la que hay que contar. ¡Persevere en su buen trabajo!

300-201

As de lo Sorprendente

Se acerca a lo alto de la clasificación. Reconoce en seguida un relato veraz, sea espantoso o no. Y su suspicacia está muy agudizada. Usted no se traga una historia amañada de fantasmas ni un relato exagerado, pero se siente arrastrado de vez en cuando. ¡Eso está bien! Déjese guiar por su audacia, porque es un superstar en potencia.

200-101

Neófito de lo Insólito

Su ojo para lo misterioso debe mejorar. Pero el mero pensamiento de muertos que vuelven a la vida o de un fantasma en el desván le da escalofríos en la espalda. Puede no ser totalmente crédulo, pero es muy fácil sorprenderlo con un hecho falseado o con un misterio prefabricado. Si "ver es creer", usted tiende a creer lo que lee. Siga trabajando con su sexto sentido y se sorprenderá de lo que puede lograr.

100-0

Realista de Ripley

Usted mantiene los pies en el suelo; es la clase de persona que no lo cree hasta que lo ve. Sin duda no presta suficiente atención a los relatos de fantasmas, duendes, brujas o, incluso, a las supersticiones, como para ser capaz de señalar lo ficticio en medio de lo real, pero a usted le gusta eso. Y si bien admite que lo verdadero puede ser más extraño que lo ficticio, su actitud refractaria a lo que carece de sentido le ayuda a enfrentarse a lo extraordinario. Caso cerrado.

Créditos de las fotografías

Ripley Entertainment Inc. y los redactores de este libro desean agradecer a los siguientes fotógrafos, agentes y otras personas el permiso para utilizar y reproducir las fotografías de esta obra. Todas las que se incluyen en el libro y no se citan a continuación son propiedad de los Archivos Ripley. Se ha realizado un gran esfuerzo para conseguir los permisos de los propietarios de todo el material que figura en estas páginas. Los errores que puedan haberse producido son involuntarios y los corregiremos gustosos en futuras reimpresiones si se nos comunican a Ripley Entertainment Inc., 5728 Major Boulevard, Orlando, Florida 32819.

6 Franklin D. Roosevelt; 19 rey Jorge III; 29 rayo/CORBIS

6 Warren G. Harding; 9 William Blake; 20 busto de Julio César; 38 archiduque Fernando; 44 Tamerlán; 51 Catalina Howard/Bettmann/CORBIS

7 Jeanne Dixon/Associated Press UNIVERSAL PRESS SYNDICATE

9 General MacArthur y soldados; 26 Mark Newman y Jerry Levey; 52 Brian Epstein/Associated Press

11 Incendio; 15 pozo de petróleo; 31 manzana/Copyright Ripley Entertainment y sus licenciadores

13 Chris Robinson/Chris Robinson

20 *The Old Farmer Almanac*/ www.almanac.com

25 Mel Gibson/Robers & Cohen

31 Gato negro/Santokh Kochar/PhotoDisc

32 Abraham Lincoln/Library of Congress, Prints and Photographs Division, LC-USZ62-13016 DLC

6, 32 John F. Kennedy / Foto n.º ST-C237-1-63 de la John F. Kennedy Library

34 Dalai Lama / Galen Rowell / CORBIS

34 Naufragio / Mark Downey / PhotoDisc

37 Diamante Hope / Smithsonian Institution

43 Tumba de Tutankhamon / Hulton-Deutsch Collection Limited / CORBIS

49 Mary Todd Lincoln / The Lloyd Ostendorf Collection

50 Andrew Jackson / Library of Congress, Prints and Photographs Division, LC-USZ62-5099 DLC

54 Castillo de Johannesburg / Franziska Oelmann

63 Soga de ahorcado / Laura Miller

64 Sainte Chapelle / The Paris Pages

65 Iglesia de los Huesos / Ben Fraser

68 Escultura de Fragonard / C. Degueurce